LES CRÉATIONS
tristAn demers

CONCEPTION, HISTOIRES ET DÉCOUPAGE :
TRISTAN DEMERS
ENCRAGE ET COULEURS :
GAG

Publié par **Presses Aventure,**
une division de **Les Publications Modus Vivendi inc.**
55, rue Jean-Talon Ouest
Montréal (Québec) H2R 2W8
CANADA

groupemodus.com

Éditeur : Marc G. Alain
Responsable de collection : Marie-Eve Labelle
Adjointe à l'édition : Vanessa Lessard
Designer graphique : Catherine Houle
Correctrice : Catherine LeBlanc-Fredette
Photographe de l'auteur : Valérie Laliberté

ISBN 978-2-89751-121-0

Dépôt légal — Bibliothèque et Archives nationales du Québec, 2016
Dépôt légal — Bibliothèque et Archives Canada, 2016

Nous reconnaissons l'aide financière du gouvernement du Canada
par l'entremise du Fonds du livre du Canada pour nos activités d'édition.

Gouvernement du Québec — Programme de crédit d'impôt
pour l'édition de livres — Gestion SODEC

Imprimé en Chine

LE JARDIN DES ZELFS

TRISTAN DEMERS
En collaboration avec GAG

PRESSES AVENTURE

Bienvenue dans le jardin de Zardenia. Que se cache-t-il sous ces étranges buissons ? Qui hurle de joie dans la forêt ? Quel est ce truc étrange dans le ciel ? Allez! Ce sont les Zelfs qui s'animent pour toi!

SPELLINDA

Spellinda est une petite sorcière amicale et un peu gaffeuse qui n'a peur de rien! Elle a toujours une solution aux différents problèmes. Une potion par-ci, un sort par-là, et hop! tout est réglé en un tour de main.

ANGELALA

Angelala est la plus douce de tous les Zelfs du jardin. Elle adore observer les constellations du ciel de Zardenia et passe la plupart de son temps avec ses copines Buttershy et Lunanne... même si elle apprécie énormément la compagnie du charmant Lil'D.

MERMALADE

Mermalade a toujours de bonnes idées pour agrémenter les journées chaudes de Zardenia. Elle habite dans une gigantesque fontaine remplie de majestueux trésors. Cet endroit est reconnu pour ses grandes vagues, et Mermalade ne perdrait jamais une occasion d'y surfer comme une pro.

TRESSA

Tressa excelle dans l'art de la coiffure et elle ne manque certainement pas de travail à Zardenia! Elle cohabite avec une plante carnivore qui n'a pas la langue dans sa poche. Avec Tressa et sa plante de compagnie, un look d'enfer est assuré!

LIL'D

Lil'D est énergique. Il a même son propre groupe de musique rock qui fait danser tout Zardenia! De plus, il est secrètement amoureux d'Angelala... même si tout le monde est au courant.

BUTTERSHY

Où il y a des fleurs, il y a Buttershy. Elle passe ses journées à s'occuper des jardins. Ce petit être timide est toujours là pour aider ses amis. Elle est très douée pour organiser des rendez-vous secrets entre ses deux bons amis, Angelala et Lil'D.

8

FIN

10

UNE CHEVELURE À LA HAUTEUR DE VAMPULA

Changer de style me fera le plus grand bien!

Je vais te créer une coiffure du tonnerre, Vampula! Laisse-moi aller.

Salon carnivore

Tu préfères le look rétro-organique ou classique-rural?

C'est toi la coiffeuse, je te fais confiance.

Quelques vagues, beaucoup de volume, un peu de mousse...

Et voilà ! C'est magnifique ! Qu'en dis-tu ?

À vrai dire, Tressa, je trouve ça plutôt démodé.

Mouais... D'accord, j'ai une autre idée.

Inspiration tropicale, fixatif et ondulations !

Bof. Moche.

Et là ?

On dirait une ruche...

Et pourquoi pas une coiffure qui colle à ton tempérament ?

Allez, je n'ai rien à perdre.

Wow ! C'est exactement ça ! J'adore ces chauves-souris !

FROUSSE DANS LA BROUSSE

Pourquoi cette promenade tardive ?

Pourquoi pas ? Avec notre torche, on ne risque pas de trébucher.

Tu entends ?

HAAOOUUU!!

?

Ça me donne la frousse ! Qu'est-ce que c'est ?

Zut ! Un coup de vent !

On dirait un cri de détresse !

On ne voit plus grand-chose. J'ai peur !

HAAOOUUU!!

Et voici ma nouveauté, le collier magique *Étincelles d'automne* ! J'essaie de varier mes créations, je prépare ma nouvelle collection !

HAAOOUUU!!

Wow ! Tu es si douée, Buttershy ! Je choisis la bague rose !

FIN

14

LA VÉRITÉ SUR L'ARC-EN-CIEL

L'AMOUR EST DANS L'AIR, PARTIE 1

FIN

FIN

23

ZARDENIA : LE JARDIN MAGIQUE

LA NUIT DANS LA FORÊT...

Il y a longtemps qu'on n'avait pas fait de petit feu dans la forêt ! C'est chouette !

Vampula, c'est toi qui as fait ça ?

HOOOUUAR RRGGGG !!!

C'est ton ventre qui gargouille ou quoi ?

J'ai cru que ça venait du fond des bois !

Mais Spellinda, je n'y suis pour rien !

Mais alors, est-ce un hibou ? Un coyote ?

Arrête tes âneries, tu me fais peur !

HOOOUUARRRGGGGG !!!

J'ai la trouille !

27

28

FIN

Lil'D, je ne t'ai jamais vu aussi chic !

J'ai un pique-nique en tête à tête avec Angelala, ce n'est pas rien !

Je vais jouer avec mon cerf-volant ! Amusez-vous bien !

Le vent est parfait pour mon activité.

Oh zut ! Ça m'arrive chaque fois ! Il y a beaucoup d'arbres dans notre jardin enchanté !

Ici, peut-être ?

32

33

FIN

Quel plaisir de pratiquer l'astronomie avec un ciel pareil.

Oh! Jolie constellation!

Les ciseaux du Capricorne!

Et cette lune qui... qui siffle?

Hi! Hi!

Wow! Les étoiles filantes sont de la partie ce soir! Chouette!

Je fais le vœu d'avoir ma propre étoile pour l'éternité!

Oh! Qu'ai-je fait? Elle est tombée dans le jardin et ne brillera plus jamais!

Mais non, Angelala, ne t'inquiète pas!

Lunanne?

FIN

FIN

LE CHAOS DANS LE COCON

Et ZOUK! AKAZIK!!

HAAAARRRGGG!
Mes cheveux!
J'en ai des tonnes!

Oups!
J'ai dû me
tromper dans
la formule!
Désolée!

Répare-moi ça
immédiatement!
J'étouffe avec ça
sur la tête!

Et voilà!

Quelle
horreur!

Allez, on
recommence.
Ne bouge
pas.

Cette fois,
ce sera la bonne!

Ça y est ? Tu possèdes un nouveau don ?

Ça ne se voit pas trop... C'est quoi ?

J'ai de nouveaux outils dans ma coiffure ! Tout ce qu'il faut pour réparer aisément notre mur abimé !

Je vous arrange ça en moins de deux ! Hi ! Hi !

Buttershy avait déjà de la facilité à bricoler, non ?

Oui, mais nous n'avons pas de quincaillerie à proximité, c'était la meilleure solution.

FIN

L'IMAGINATION NE DORT JAMAIS

Je me suis accrochée dans un arbre! Aïe!

Lil'D, comment puis-je réparer mon aile droite?

À la clinique et vite!

Et si je perds mes ailes définitivement? Ça m'angoisse!

YAHOOOOUUUU!
Je suis un papillon géant! À moi le ciel!

Quel cauchemar! De si grandes ailes... C'est un peu encombrant!

FIN

43